Emil und die

Ein Leseprojekt
zu dem
gleichnamigen Roman
von Erich Kästner

erarbeitet von
Michaela Greisbach

Illustrationen
von
Kirsten Ehls

Inhaltsverzeichnis

Kapitel 1

1 „So“, sagte Frau Tischbein, „und nun bring mir mal
2 den Krug mit dem warmen Wasser nach!“
3 Sie selbst nahm einen anderen Krug und
4 den kleinen blauen Topf mit der flüssigen Seife.
5 Damit ging sie aus der Küche ins Wohnzimmer.
6 Emil griff den Krug und lief hinter seiner Mutter her.
7 Im Wohnzimmer saß Frau Wirth, die Frau
8 des Bäckermeisters, und hielt den Kopf
9 über eine weiße Schüssel.

10 „Du hast's gut, Emil", sagte sie, als die Mutter
11 begann, ihr den Kopf zu waschen. „Du fährst
12 nach Berlin, wie ich höre."
13 „Erst hatte er zwar keine Lust", sagte die Mutter.
14 „Aber wozu soll der Junge die Ferien hier
15 totschlagen? Er kennt Berlin überhaupt noch
16 nicht. Und meine Schwester Martha hat uns schon
17 immer mal einladen wollen. Ihr Mann verdient
18 ganz gut.
19 Er ist bei der Post. Ich kann freilich nicht
20 mitfahren. Vor den Feiertagen gibt es viel zu tun.
21 Na, er ist ja groß genug und muss eben
22 unterwegs gut aufpassen. Außerdem holt ihn
23 meine Mutter am Bahnhof Friedrichstraße ab.
24 Sie treffen sich am Blumenstand."

25 Als Frau Wirth gegangen war, holte Emils Mutter
26 einen Blechkasten aus dem Schrank.
27 „So, Emil! Hier sind 140 Mark. Ein Hundertmark-
28 schein und zwei Zwanzigmarkscheine. 120 Mark
29 gibst du der Großmutter. Sag ihr, dass ich
30 voriges Mal nichts schicken konnte. Da bin ich
31 zu knapp gewesen."
32 Früher wohnte Emils Großmutter bei
33 seinen Eltern. Erst als Emils Vater,

34 der Klempnermeister Tischbein, gestorben war,
35 zog sie zu ihrer anderen Tochter nach Berlin.
36 Denn Emils Mutter verdiente zu wenig,
37 als dass drei Leute davon leben konnten.
38 „Die 20 Mark, die übrig bleiben, behältst du.
39 Davon kaufst du die Fahrkarte, wenn du wieder
40 heimfährst. Und hier ist der Umschlag
41 von Tante Marthas Brief. Da stecke ich das Geld
42 hinein. Pass ja gut auf, dass du es nicht verlierst!
43 Wo willst du es hintun?“
44 Sie legte die drei Scheine in den Briefumschlag.
45 Sie knickte ihn in der Mitte um und gab ihn Emil.
46 Der überlegte erst eine Weile. Dann schob er ihn
47 in die rechte Innentasche seiner blauen Jacke.
48 „So, da ist er sicher“, sagte Emil überzeugt.
49 „Aber erzähle keinem Menschen im Abteil,
50 dass du so viel Geld bei dir hast!“
51 Emil war fast beleidigt. Ihm so eine Dummheit
52 zuzutrauen!
53 Emils Mutter trug den Blechkasten wieder
54 zum Schrank.
55 „Hoppla“, rief sie, „wir müssen zum Bahnhof.
56 Es ist schon Viertel nach eins. Und der Zug geht
57 kurz vor zwei Uhr.“

Fortsetzung folgt

1. Welche Personen hast du im ersten Kapitel kennen gelernt? Schreibe ihre Namen auf!

Die Hauptperson des Romans:

____

____

Die Mutter von Emil:

____

____

Die Oma. Emil und seine Mutter nennen sie:

____

____

Die Schwester von Emils Mutter:

____

____

2. Emil schreibt sich einen Merkzettel. Kreuze die Punkte an, die auf seine Reise zutreffen!

- ❍ Ferienreise an die Nordsee
- ❍ Ferienreise nach Berlin
- ❍ mit der Mutter
- ❍ allein
- ❍ Anreise mit dem Bus
- ❍ Anreise mit dem Zug
- ❍ Ankunft Bahnhof Berlin Friedrichstraße
- ❍ Ankunft Bahnhof Berlin Zoo
- ❍ Treffpunkt Zeitungsstand
- ❍ Treffpunkt Blumenstand
- ❍ abgeholt von Tante Martha
- ❍ abgeholt von der Großmutter

3. Bist du schon einmal mit dem Zug gefahren? Erzähle deinen Mitschülerinnen und Mitschülern von deiner Reise!

4. Die Geschichte spielt im Jahr 1928. Damals bezahlten die Menschen in Deutschland mit Mark. Ein Euro sind fast zwei Mark. Unten siehst du einige Preise aus jener Zeit.

	1928	2004
1 Pfund Schweinefleisch	0,76 Mark	€
Kommode mit 4 Schubladen	24,00 Mark	€
Kinderschuhe	5,00 Mark	€
Miete für eine 3-Zimmer-Wohnung ohne Besonderheiten	20,00 Mark	€
1kg Roggenmehl	0,30 Mark	€
Kochtopf	0,35 Mark	€

a) Was hätten Emil und seine Mutter wohl mit 140 Mark alles bezahlen können? Stelle eine Liste zusammen und schreibe sie in dein Heft!

b) Suche dir vier Dinge heraus und erkundige dich, wie viel sie heute in Euro kosten. Trage die Preise oben in die rechte Spalte ein!

Kapitel 2

Emil und seine Mutter fuhren mit der Pferdebahn zum Bahnhof.
Auf dem Bahnhofsplatz stiegen sie aus. Emil nahm seinen Koffer. Da brummte eine Stimme hinter ihnen: „Na, Sie fahren wohl in die Schweiz?“

6 Das war der Polizeiwachtmeister Jeschke.
7 Die Mutter antwortete: „Nein, Emil fährt
8 für eine Woche nach Berlin zu Verwandten."
9 Emil wurde es beinahe schwarz vor Augen, denn
10 er hatte ein sehr schlechtes Gewissen. Neulich
11 hatten ein paar Schüler dem Denkmal
12 des Großherzogs heimlich einen alten Hut
13 aufgesetzt. Und weil Emil gut zeichnen konnte,
14 hatte er dem Großherzog eine rote Nase und
15 einen schwarzen Schnurrbart gemalt.
16 Aber plötzlich war Wachtmeister Jeschke
17 aufgetaucht! Sie waren blitzschnell davongerannt.
18 Hatte er sie vielleicht doch erkannt? Aber er sagte
19 nichts, sondern wünschte Emil eine gute Reise.
20 Emil hatte trotzdem kein gutes Gefühl. Als er
21 den Koffer zum Bahnhof trug, zitterten ihm
22 die Knie. Doch es geschah nichts. Vielleicht
23 wartete der Wachtmeister nur, bis Emil wiederkam?

24 Die Mutter kaufte am Schalter den Fahrschein und
25 eine Bahnsteigkarte. Dann gingen sie
26 auf den Bahnsteig 1 und warteten auf den Zug
27 nach Berlin. Es fehlten nur noch ein paar Minuten.
28 „Lass nichts liegen! Und verpass nicht,
29 auszusteigen. Du kommst 18 Uhr 17 in Berlin an.

30 Am Bahnhof Friedrichstraße. Und verlier
31 das Geld nicht!“
32 Emil fasste sich entsetzt an die Jacke und in
33 die rechte Brusttasche. Er atmete erleichtert auf
34 und meinte: „Alles noch da.“
35 Dann sah man schon die Dampflok näher kommen.
36 Der Zug nach Berlin fuhr ein. Emil kletterte mit
37 seinem Koffer in ein Abteil. Die Mutter reichte ihm
38 ein Paket mit Butterbroten nach.
39 „Also, Friedrichstraße aussteigen!“
40 Er nickte.
41 „Und die Großmutter wartet am Blumenstand.“
42 Er nickte.
43 „Sei nett zu Pony Hütchen. Ihr werdet euch
44 gar nicht mehr kennen.“
45 Er nickte. Pony Hütchen war der Spitzname seiner
46 Cousine. Er war schon ganz gespannt auf sie.
47 „Und benimm dich.“
48 Er nickte.
49 So wäre es wahrscheinlich noch stundenlang
50 weitergegangen. Aber zum Glück gab es
51 einen Fahrplan.
52 Der Zugführer rief: „Alles einsteigen!“
53 Die Lokomotive ruckte an.
54 Und los ging’s.

Fortsetzung folgt

1. **Wie haben Emil und seine Schulfreunde das Denkmal des Großherzogs verschönert? Ergänze das Denkmal!**

2. **Wie würdest du das Denkmal verschönern? Male und vergleiche deine Zeichnung mit einer Partnerin oder einem Partner!**

3. Erich Kästner hat den Roman im Jahr 1928 geschrieben. Daher gebraucht er Worte, die für uns heute ungewöhnlich sind. Verbinde die Begriffe mit der richtigen Erklärung!

Pferdebahn

Früher ritt man mit dem Pferd auf einer Bahn durch die Stadt.

Früher wurde die Straßenbahn von Pferden durch die Stadt gezogen.

Bahnsteigkarte

Ein Plan, mit dem man sich auf dem Bahnsteig zurechtfand.

Eine Eintrittskarte, um auch ohne Fahrkarte auf den Bahnsteig zu kommen.

Lok, die mit Diesel angetrieben wurde.

Dampflok

Lok, die mit Kohle angetrieben wurde.

4. In diesem Kapitel kommen viele zusammengesetzte Nomen (Hauptwörter) vor: z. B. Bahnhofsplatz, Schnurrbart, Blumenstand. Schreibe fünf weitere zusammengesetzte Nomen unten auf!

Kapitel 3

1 Emil nahm seine Mütze ab und sagte:
2 „Guten Tag, meine Herrschaften. Ist vielleicht
3 noch ein Plätzchen frei?“
4 Natürlich war noch ein Platz frei. Eine dicke Dame,
5 die sich den linken Schuh ausgezogen hatte, weil
6 er drückte, sagte: „Solche höflichen Kinder sind

heutzutage selten. Wenn ich da an meine Jugend zurückdenke, Gott, da herrschte ein anderer Geist, nicht wahr?“ Sie wandte sich zu ihrem Nachbarn, einem Mann, der beim Atmen ganz schrecklich schnaufte.

Emil fühlte in seiner Jacke, ob der Briefumschlag mit dem Geld noch da war. Seine Mitreisenden sahen nicht gerade wie Räuber und Mörder aus. Neben dem schrecklich schnaufenden Mann saß eine Frau, die an einem Schal häkelte. Und am Fenster, neben Emil, las ein Mann mit Hut seine Zeitung.

Plötzlich legte er die Zeitung hin und holte aus seiner Tasche eine Ecke Schokolade. Er hielt sie Emil hin und sagte: „Na, wie wär’s?“

Emil bedankte sich und nahm die Schokolade. Dann stellte er sich vor: „Emil Tischbein ist mein Name.“

Die Reisenden lächelten. Der Mann erwiderte:

„Sehr angenehm, ich heiße Grundeis.“

„Du fährst nach Berlin?“, fragte Herr Grundeis.

„Ja, meine Großmutter wartet am Bahnhof Friedrichstraße“, antwortete Emil. Er fasste sich an seine Jackentasche. Der Briefumschlag knisterte noch immer.

32 Emil packte seine Butterbrote aus. Als er
33 die dritte Stulle kaute, hielt der Zug
34 in einem großen Bahnhof an.
35 Fast alle Fahrgäste stiegen aus, auch
36 die dicke Dame. Sie wäre beinahe zu spät
37 gekommen, weil sie ihren Schuh nicht wieder
38 zukriegte.

39 Emil war jetzt mit dem Mann allein. Das gefiel
40 ihm nicht sehr. Er wollte wieder nach
41 dem Briefumschlag fassen. Das traute er sich
42 aber nicht.
43 Als der Zug weiterfuhr, ging Emil zur Toilette.
44 Dort holte er den Briefumschlag aus der Tasche
45 und zählte das Geld. Es stimmte. Aber was sollte
46 er damit machen? Emil war ratlos.
47 Da hatte er eine Idee. Er nahm eine Nadel,
48 die in der Jacke war. Emil steckte sie erst
49 durch die drei Geldscheine, dann durch
50 den Briefumschlag und schließlich durch
51 das Jackenfutter. So, dachte er, nun kann nichts
52 mehr passieren. Und dann ging er ins Abteil
53 zurück.
54 Herr Grundeis hatte sich zurückgelehnt und
55 schlief. Er hatte ein längliches Gesicht,

56 einen ganz schmalen schwarzen Schnurrbart
57 und viele Falten um den Mund. Warum der Mann
58 immer den Hut aufbehielt?
59 Emil zuckte zusammen und erschrak. Beinahe
60 wäre er eingeschlafen! Er musste unbedingt wach
61 bleiben. Und dabei war es erst vier Uhr. Noch
62 über zwei Stunden! Er kniff sich ins Bein.
63 In der Schule half das immer, wenn es langweilig
64 war.
65 Dann versuchte er es mit Knopfzählen. Er zählte
66 von oben nach unten. Und dann noch einmal
67 von unten nach oben. Von oben nach unten waren
68 es 23 Knöpfe. Und von unten nach oben 24.
69 Emil lehnte sich zurück. Er überlegte, woran
70 das liegen könnte.
71 Und dabei schlief er ein.

Fortsetzung folgt

1. Wer sitzt noch in Emils Abteil?
Schreibe die Personen auf!

2. Wie versucht Emil, wach zu bleiben?
Unterstreiche die richtigen Antworten!

Er denkt an die Schule.

Er zählt Kühe.

Er kneift sich ins Bein.

Er kneift sich in den Arm.

Er zählt Knöpfe.

Er denkt an Berlin.

3. Hast du andere Ideen, wie Emil sich wach halten kann? Schreibe sie unten auf!

4. Wie versteckt er sein Geld?

Kapitel 4

1 Als er aufwachte, setzte sich der Zug eben wieder
2 in Bewegung. Emil setzte sich mit einem Ruck
3 auf und erschrak: Grundeis war weg! Die Knie
4 zitterten ihm. Ganz langsam stand er auf.

Jetzt war die nächste Frage: Ist das Geld
noch da? Und vor dieser Frage hatte er
eine unbeschreibliche Angst.
Er griff sich langsam in die rechte innere Tasche.
Die Tasche war leer! Das Geld war fort!
Emil durchwühlte die Tasche. Es blieb dabei:
Die Tasche war leer und das Geld war weg.
„Au!“ Emil zog seine Hand aus der Tasche.
Die Stecknadel war noch da.
Emil war verzweifelt. Was sollte er nun anfangen?
Seine Mutter hatte umsonst gespart.
Die Großmutter bekam keinen Pfennig. Und all
das wegen eines Kerls, der den Kindern
Schokolade schenkte. Und der so tat, als ob er
schliefe. Und zum Schluss raubte er sie aus.

Emil sah sich um. Was sollte er tun?
Die Notbremse konnte er nicht ziehen. Wann war
Grundeis ausgestiegen? An der nächsten Station
musste er den Schaffner rufen und ihm alles
erzählen. Und er würde es schleunigst der Polizei
melden. Emil stockte der Atem. Das ging ja
gar nicht. Nachher kam bei den Nachforschungen
heraus, dass er, Emil Tischbein aus Neustadt,
Denkmäler vollschmierte! Emil holte den Koffer

29 herunter. In diesem Abteil konnte er nicht länger
30 bleiben. Das stand fest.
31 Inzwischen fuhr der Zug langsamer. Er hielt.
32 Emil schaute aus dem Fenster. BAHNHOF ZOO.
33 Emil beugte sich weit vor. Er suchte den Schaffner.
34 Da sah er in einiger Entfernung zwischen
35 vielen anderen Menschen einen schwarzen Hut.
36 Wenn das der Dieb war? Vielleicht hatte er nur
37 das Abteil gewechselt und war jetzt erst
38 ausgestiegen?
39 Im nächsten Augenblick stand Emil
40 auf dem Bahnsteig. Er nahm seinen Koffer und
41 rannte, so schnell er konnte, in Richtung Ausgang.
42 Wo war der Hut geblieben? Emil stolperte,
43 stieß mit dem Koffer an, rannte weiter.
44 Die Menschenmenge wurde immer dichter.
45 Da! Dort war der Hut zu sehen! Himmel, da drüben
46 war noch einer! Emil konnte den Koffer kaum noch
47 schleppen. Am liebsten hätte er ihn einfach stehen
48 gelassen. Doch dann würde ihm der auch noch
49 gestohlen!
50 Endlich hatte er sich dicht an die Hüte
51 herangedrängt.
52 Der konnte es sein! War er's?
53 Nein.

54 Dort war der nächste.
55 Nein. Der Mann war zu klein.
56 Emil schlängelte sich durch die Menschenmassen.
57 Dort, dort!
58 Das war der Kerl. Das war Grundeis. Er schien es
59 eilig zu haben.
60 „Warte nur“, knurrte Emil, „dich kriegen wir!“
61 Er nahm seinen Koffer in die andere Hand. Dann
62 gab er seine Fahrkarte ab.
63 Emil lief hinter dem Mann die Treppe hinunter.
64 Jetzt kam’s drauf an.

Fortsetzung folgt

1. Setze die passenden Adjektive (Eigenschaftswörter) in den Text ein!

> dichte / eilig / klein / schnell / schwarzen / schweren / weit

Emil beugt sich ______________ aus dem Fenster.

Er entdeckt einen ______________ Hut.

Emil springt ______________ aus dem Zug.

Er nimmt den ______________ Koffer.

Er rennt durch die ______________ Menschenmenge.

Ein Mann, der einen Hut trägt, ist zu ______________ .

Dann sieht er Grundeis, der es ______________ hat.

2. Emil hat den Diebstahl entdeckt. Was könnte er tun? Schreibe drei Möglichkeiten auf!

3. Emil geht nicht zur Polizei. Er entdeckt den Dieb auf dem Bahnsteig und verfolgt ihn. Wie findest du sein Verhalten? Sprich mit einer Partnerin oder einem Partner darüber!

Kapitel 5

1 Emil versteckte sich hinter einer großen, breiten
2 Frau, die vor ihm ging. Herr Grundeis war
3 inzwischen am Ausgang des Bahnhofs angelangt.
4 Er schaute sich um, als würde er jemanden suchen.

5 Emil versteckte sich schnell hinter einer Säule.
6 Der Dieb ging langsam über die Straße.
7 Er sah noch einmal rückwärts. Dann kam
8 eine Straßenbahn von links und hielt. Der Mann

9 überlegte einen Augenblick. Er stieg auf
10 den Vorderwagen und setzte sich an
11 einen Fensterplatz.
12 Emil packte seinen Koffer. Er rannte auf
13 die Straße. Er erreichte den hinteren Wagen, als
14 die Bahn losfuhr. Emil warf den Koffer hinauf und
15 kletterte nach. Dann schob er seinen Koffer
16 in eine Ecke. Er stellte sich davor und atmete auf.
17 Noch hatte er den Dieb nicht verloren!

18 Da war er nun in Berlin! Zu gern hätte sich Emil
19 alles in Ruhe angeschaut. Aber er hatte keine Zeit
20 dazu. Im vorderen Wagen saß der Mann, der
21 Emils Geld hatte. Er konnte jeden Augenblick
22 aussteigen und im Gedränge verschwinden.
23 Emil streckte den Kopf hinaus. Wenn nun der Kerl
24 schon weg war? Dann fuhr er hier allein weiter
25 und wusste nicht wohin. Und die Großmutter
26 wartete unterdessen am Bahnhof Friedrichstraße.
27 Sie hatte ja keine Ahnung, dass ihr Enkel
28 inzwischen in Berlin herumirrte und
29 großen Kummer hatte. Es war zum Platzen!
30 Da hielt die Straßenbahn zum ersten Mal. Emil
31 ließ den Vorderwagen nicht aus den Augen. Doch
32 es stieg niemand aus. Die Straßenbahn fuhr

33 weiter. Emil stellte sich wieder in seine Ecke.
34 Plötzlich sah er den Schaffner. Er dachte
35 erschrocken: ‚Ich habe ja gar kein Geld! Wenn
36 der Schaffner kommt, muss ich einen Fahrschein
37 lösen. Und wenn ich es nicht kann, schmeißt er
38 mich raus. Dann ist alles aus.'
39 Er sah sich die Leute an, die neben ihm standen.
40 Konnte ihm jemand das Fahrgeld leihen? Aber
41 alle machten so ernste Gesichter. Der eine las
42 Zeitung, zwei andere unterhielten sich.
43 Der Schaffner kam immer näher. Jetzt fragte er
44 laut: „Wer hat noch keinen Fahrschein?"
45 „Na, und du?", fragte er den Jungen.
46 „Ich habe mein Geld verloren", antwortete Emil.
47 Den Diebstahl hätte ihm sowieso niemand
48 geglaubt.
49 „Geld verloren? Das kenn ich. Und wo willst du
50 hin?"
51 „Das … das weiß ich noch nicht", stotterte Emil.
52 „So. Na, dann steig an der nächsten Station mal
53 wieder aus."
54 „Nein, das geht nicht. Ich muss mitfahren, bitte!"
55 „Wenn ich dir sage, du musst aussteigen, dann
56 steigst du aus. Verstanden?"
57 „Geben Sie dem Jungen einen Fahrschein!", sagte

58 plötzlich der Mann, der Zeitung gelesen hatte.
59 Er gab dem Schaffner Geld. Der Schaffner hielt
60 Emil einen Fahrschein hin und meinte zu
61 dem Mann: „Was glauben Sie, wie viele Jungen
62 mir täglich erzählen, sie hätten das Geld
63 vergessen. Hinterher lachen sie mich aus.“ Dann
64 ging er weiter.
65 Emil bedankte sich bei dem Mann.
66 Die Straßenbahn fuhr weiter. Sie hielt. Und sie
67 fuhr weiter. Emil las Straßennamen. Aber er
68 wusste nicht, wohin er fuhr. Niemand kümmerte
69 sich um ihn. Ein fremder Mann hatte ihm zwar
70 einen Fahrschein geschenkt. Doch nun las er
71 gleichgültig weiter seine Zeitung.
72 Die Stadt war so groß. Und Emil war so klein.
73 Und kein Mensch wollte wissen, warum er
74 kein Geld hatte. Und warum er nicht wusste,
75 wo er aussteigen sollte.
76 Was würde werden? Emil schluckte schwer.
77 Er fühlte sich sehr, sehr allein.

Fortsetzung folgt

1. **Emil versteckt sich hinter einer Säule vor dem Bahnhof. Male ein Bild von dem Bahnhofseingang!**

2. **Emil bekommt das Fahrgeld geschenkt.**
   Was denken die drei (Schaffner, Mann mit Zeitung und Emil)?
   Schreibe ihre Gedanken in die Denkblasen!

3. Was glaubst du, wie Emil sich in der Straßenbahn fühlt? Kreise die passenden Adjektive (Eigenschaftswörter) ein!

gespannt

aufgeregt

allein

glücklich

ängstlich

müde

erschöpft

vergnügt

eifersüchtig

traurig

fröhlich

Kapitel 6

1 Während Emil mit der Straßenbahn quer durch
2 Berlin fuhr, warteten seine Großmutter und Pony
3 Hütchen am Blumenstand auf ihn. Sie sahen
4 dauernd auf die Uhr. Viele Leute kamen vorüber.
5 Doch Emil war nicht dabei.

6 Die Großmutter wurde unruhig. „Ich möchte bloß
7 wissen, was das heißen soll. Jetzt ist es schon
8 18 Uhr 20. Der Zug müsste doch schon längst
9 da sein."
10 Sie warteten noch ein paar Minuten. Dann schickte
11 die Großmutter das Mädchen fort. Es sollte sich
12 nach dem Zug aus Neustadt erkundigen.
13 „Können Sie mir sagen, wo der Zug aus Neustadt
14 bleibt?", fragte sie einen Beamten.
15 „Neustadt? Neustadt?", überlegte er. „Ach so,
16 18 Uhr 17. Der Zug war doch pünktlich."
17 „Das ist aber seltsam. Wir warten nämlich
18 am Blumenstand auf meinen Cousin Emil."
19 „Freut mich, freut mich", sagte der Mann.
20 „Wieso freut Sie das denn?", fragte Pony
21 neugierig.
22 Der Beamte antwortete nicht und drehte ihr
23 den Rücken zu.
24 „Na, Sie sind aber komisch", sagte Pony beleidigt.
25 Ein paar Leute lachten. Der Beamte biss sich
26 ärgerlich auf die Lippen. Und Pony Hütchen ging
27 zum Blumenstand zurück.
28 „Der Zug war pünktlich da", erzählte sie
29 der Großmutter.
30 „Was mag da nur passiert sein?", überlegte

31 die alte Dame. „Wenn er überhaupt nicht
32 abgefahren wäre, hätte seine Mutter doch
33 ein Telegramm geschickt. Ob er verkehrt
34 ausgestiegen ist?“
35 „Ich versteh das auch nicht“, sagte Pony.
36 „Sicher ist er verkehrt ausgestiegen. Jungen sind
37 manchmal furchtbar blöde.“
38 Und dann warteten sie noch einmal fünf Minuten.
39 „Ob es noch einen Blumenstand gibt?“, fragte
40 Pony die Großmutter. Pony sah sich im Bahnhof
41 um.
42 „Pech gehabt“, erzählte sie, als sie zurückkam.
43 „Blumenstände gibt's keine sonst. Und der
44 nächste Zug aus Neustadt kommt um 20 Uhr 33
45 an. Wir gehen jetzt nach Hause. Und Punkt acht
46 fahre ich mit meinem Fahrrad wieder hierher.“
47 Die Großmutter machte ein besorgtes Gesicht und
48 schüttelte den Kopf. „Die Sache gefällt mir nicht.
49 Die Sache gefällt mir nicht“, erklärte sie. Wenn sie
50 aufgeregt war, sagte sie nämlich alles zweimal.

51 Als sie zu Hause angekommen waren, gab es
52 bei Ponys Eltern große Aufregung. Jeder wollte
53 wissen, wo Emil war, und keiner wusste es.
54 Ponys Vater schlug vor, ein Telegramm

55 an Emils Mutter zu schicken.
56 Ponys Mutter riet davon ab. „Sie würde sich
57 zu Tode erschrecken. Wir gehen gegen acht
58 noch einmal zum Bahnhof. Vielleicht kommt er
59 mit dem nächsten Zug."
60 „Hoffentlich", jammerte die Großmutter, „aber ich
61 kann mir nicht helfen: Die Sache gefällt mir nicht.
62 Die Sache gefällt mir nicht!"
63 Pony Hütchen schüttelte bedenklich den Kopf
64 und sagte: „Die Sache gefällt mir nicht."

Fortsetzung folgt

1. Wenn Emil auch mit dem zweiten Zug nicht nach Berlin kommt, will Pony Hütchens Vater ein Telegramm schicken. Das ist eine Nachricht, die man von der Post aus an jemanden schicken kann. Ein Telegramm kommt innerhalb weniger Stunden an. Es wird jede Silbe einzeln bezahlt und alle Wörter werden kleingeschrieben. Was könnte er schreiben? Schreibe den Telegrammtext unten auf! Denk daran: Je mehr Wörter du benutzt, desto teurer wird das Telegramm!

2. Gehe mit Schreibzeug zu der Bushaltestelle, die deiner Wohnung am nächsten liegt!

a) Lies den Fahrplan und schreibe die Antworten zu folgenden Fragen auf:

- Von wo kommt der Bus?

____

- Wohin fährt der Bus?

____

- Wann fährt morgens der erste Bus?

____

- Wie oft und wann fährt der Bus zwischen 14 Uhr und 18 Uhr?

____

b) Berichte deinen Mitschülerinnen und Mitschülern von deinen Ergebnissen!

Kapitel 7

1 An der nächsten Haltestelle verließ Herr Grundeis
2 die Straßenbahn. Emil sah es gerade noch
3 rechtzeitig. Er nahm seinen Koffer und sprang
4 von der Bahn. Der Dieb ging am Vorderwagen
5 vorbei. Er überquerte die Gleise. Emil konnte

6 beobachten, wie der Mann auf der anderen Seite
7 der Straße in ein Café ging.
8 Wo konnte Emil sich verstecken?
9 An der Ecke war ein Zeitungsstand. Schnell lief er
10 mit seinem Koffer hin. Von hier aus konnte er

11 Grundeis gut beobachten. Der Mann hatte sich
12 auf die Terrasse gesetzt, dicht ans Geländer.

13 Plötzlich hupte es dicht hinter Emil! Er sprang
14 erschrocken zur Seite. Dann drehte er sich um.
15 Hinter ihm stand ein Junge, der ihn auslachte.
16 „Na, fall nicht gleich vom Stuhl!“, sagte der Junge.
17 „Du bist wohl nicht von hier, wie?“
18 „Ich bin aus Neustadt. Und komme gerade
19 vom Bahnhof“, erklärte Emil. Dann blickte er
20 zum Café hinüber, ob Grundeis noch dort saß.
21 „Was machst du denn hier? Spielst du mit dir
22 selber Verstecken?“
23 „Nein“, sagte Emil. „Ich beobachte einen Dieb.“
24 „Was? Wen hat er denn beklaut?“
25 „Mich!“, sagte Emil. „Im Zug. Während ich schlief.
26 140 Mark. Die sollte ich meiner Großmutter hier
27 in Berlin geben. Dann ist er am Bahnhof Zoo
28 ausgestiegen. Ich natürlich hinterher. Dann
29 in die Straßenbahn. Und jetzt sitzt er drüben
30 im Café.“
31 „Das ist ja großartig!“, rief der Junge. „Das ist ja
32 wie im Kino! Und was willst du nun tun?“
33 „Keine Ahnung. Immer hinterher.“
34 Der Junge mit der Hupe dachte nach. Dann sagte

35 er: „Na, dabei helfe ich dir! Ich heiße Gustav."
36 „Und ich Emil."
37 „Wie wäre es denn", fragte Emil, „wenn du noch
38 ein paar Freunde holst?"
39 „Mensch, die Idee ist super!", rief Gustav
40 ganz begeistert.
41 „Aber komm bald wieder. Sonst läuft der Kerl
42 da drüben weg. Und dann muss ich hinterher."
43 Emil fühlte sich wunderbar erleichtert.
44 Er behielt den Dieb scharf im Auge.

45 Zehn Minuten später hörte Emil die Hupe wieder.
46 Er drehte sich um. Mindestens 20 Jungen, Gustav
47 ganz vorne, kamen angerannt.
48 „Also, das hier ist Emil aus Neustadt. Das andere
49 hab ich euch schon erzählt. Dort drüben sitzt
50 der Schweinehund, der ihm das Geld geklaut hat.
51 Den müssen wir kriegen, verstanden?"
52 „Aber Gustav, das schaffen wir doch!", sagte
53 ein Junge mit einer Brille.
54 „Das ist der Professor", klärte Gustav Emil auf.
55 Als Erstes sammelten sie für alle Fälle Geld ein.
56 Man konnte ja nie wissen! Jeder gab, was er
57 dabeihatte.
58 „Was machen wir nun?", fragte Emil. „Am liebsten

59 würde ich meinen Koffer erst einmal loswerden."
60 „Das mach ich", meinte Gustav. „Den bringe ich
61 rüber ins Café und geb ihn dort ab. Dann kann ich
62 mir auch mal den Dieb näher ansehen."
63 Als Gustav wiederkam, blieben er und
64 zwei Jungen am Zeitungsstand stehen.
65 Sie passten auf, dass der Dieb nicht abhaute.
66 Emil und der Professor gingen mit den anderen
67 in einen Park in der Nähe. Dort wollten sie
68 Kriegsrat abhalten.

Fortsetzung folgt

**1. Kreuze die richtigen Satzteile an!
Trage die Zahlen der richtigen Sätze unten in die Kästchen ein!**

Herr Grundeis fährt …

- ☒ mit dem Taxi. 10
- ☐ mit dem Bus. 7
- ☒ mit der Straßenbahn. 1

Herr Grundeis geht …

- ☐ in einen Supermarkt. 4
- ☒ in ein Café. 9
- ☐ in ein Schwimmbad. 6

Gustavs Kennzeichen ist …

- ☒ eine Hupe. 2
- ☒ eine Mütze. 12
- ☐ ein Fahrrad. 3

Die Kinder halten ihren Kriegsrat …

- ☒ an der Bushaltestelle. 11
- ☐ hinter dem Zeitungsstand. 5
- ☒ im Park. 8

Erich Kästner hat diese Geschichte im Jahr ☐  ☐ ☐ geschrieben.

1 9 2 8

**2. Emil erzählt Gustav, was passiert ist.
Gustav ruft: „Das ist ja großartig!"
Warum? Unterstreiche die richtige Antwort!**

Er stiehlt selbst und findet den Trick gut.

Er ist froh, dass ihm das nicht passiert ist.

Er freut sich, dass etwas Spannendes passiert.

**3. Gustav holt seine Freunde.
Was erzählt er ihnen?
Schreibe in dein Heft!
Tipp: Die Wörter im Kasten können dir helfen.**

Junge aus Neustadt / er heißt / im Zug / gestohlen / verfolgt Dieb / helfen

Kapitel 8

1 Sie setzten sich auf die zwei Bänke, die im Park
2 standen, und auf das niedrige eiserne Gitter,
3 das den Rasen einzäunte.
4 „Es könnte sein, dass wir uns trennen müssen.
5 Deshalb brauchen wir eine Telefonzentrale.
6 Wer von euch hat Telefon?“, fragte der Junge,
7 den sie Professor nannten.
8 Zwölf Jungen meldeten sich.

9 „Und wer hat die vernünftigsten Eltern?“
10 „Vermutlich ich!“, rief der kleine Dienstag.
11 „Die Telefonzentrale wird immer wissen, wo wir
12 gerade sind und was los ist. Wer das erfahren will,
13 ruft ganz einfach den kleinen Dienstag an.“
14 „Ich bin doch gar nicht zu Hause“, sagte der
15 kleine Dienstag.
16 „Doch, du bist jetzt gleich zu Hause“, antwortete
17 der Professor.
18 „Ich möchte aber lieber dabei sein, wenn der Dieb
19 gefangen wird.“
20 „Wir brauchen aber einen Jungen am Telefon.
21 Das ist sehr wichtig!“
22 „Na schön, wenn ihr wollt.“ Murrend zog der
23 kleine Dienstag ab.

24 Wer nicht unbedingt gebraucht wurde, sollte
25 im Park bleiben. Ein paar Kinder liefen
26 nach Hause, um Butterbrote zu holen.
27 „Aber wie kriegen wir den Kerl?“
28 „Wir klauen ihm ganz einfach das Geld, das er
29 geklaut hat!“
30 „Quatsch!“, erklärte der Professor. „Wenn wir ihm
31 das Geld klauen, sind wir ganz genau solche
32 Diebe, wie er einer ist.“

33 „Wenn mir jemand was stiehlt und ich stehl's ihm
34 wieder, bin ich doch kein Dieb!"
35 „Doch, dann bist du ein Dieb", behauptete
36 der Professor.
37 „Der Professor hat sicher Recht", griff Emil ein.
38 „Wenn ich jemandem was heimlich wegnehme,
39 bin ich ein Dieb. Egal, ob es ihm gehört oder
40 ob er es mir gestohlen hat."

41 Emil fiel noch etwas Wichtiges ein: „Eigentlich
42 sollte ich noch meiner Großmutter Bescheid
43 sagen. Sonst rennt sie zur Polizei. Kann jemand
44 einen Brief vorbeibringen?"
45 „Mach ich", meldete sich ein Junge.
46 Emil lieh sich Papier und Bleistift. Schnell schrieb
47 er ein paar Zeilen. Er faltete den Zettel und sagte
48 zu dem Jungen: „Erzähl aber nicht, wo ich stecke
49 und dass das Geld weg ist. Sonst bekomme ich
50 großen Ärger."
51 Der Professor gab noch die Parole aus. Damit
52 man immer gleich wusste, ob er dazugehört.
53 „Parole Emil!", riefen die Jungen so laut, dass
54 die Bäume wackelten.
55 Emil war fast glücklich, dass ihm das Geld
56 gestohlen worden war.

Fortsetzung folgt

1. **Erich Kästner hat den Roman im Jahr 1928 geschrieben. Damals hatten viele Menschen noch kein Telefon. Kannst du dir ein Leben ohne Telefon oder Handy vorstellen? Was wäre anders? Sprich mit einer Partnerin oder einem Partner darüber!**

2. **Ein Junge schlägt vor, dem Dieb das Geld zu stehlen.**

a) **Welcher Meinung bist du? Begründe!**

Das finde ich richtig, weil ______________________

Das finde ich nicht richtig, weil ______________________

b) **Sprecht in der Klasse darüber!**

3. Emil schreibt einen kurzen Brief an seine Großmutter. Was könnte er schreiben?

4. Eine Parole ist ein Kennwort, an dem sich die Mitglieder einer Bande erkennen können. Denke dir eine Parole für deine Klasse aus und schreibe sie in den Rahmen!

Meine Parole

Kapitel 9

1 Da kam einer der Jungen, die am Zeitungsstand
2 Wache stehen sollten, angestürzt. Er fuchtelte
3 mit den Armen.
4 „Los!“, rief der Professor. Und schon rannten er,
5 Emil und drei weitere Jungen zum Café.
6 Die letzten zehn Meter bis zum Zeitungsstand
7 gingen sie vorsichtig.

„Zu spät? Ist er schon weg?“, fragte Emil
außer Atem.
„Was denkst du!“, flüsterte Gustav. „Wenn ich was
mache, mach ich’s richtig.“

Der Dieb stand vor dem Café und schaute sich
um. Er kaufte bei einem Zeitungsverkäufer
eine Abendzeitung und begann zu lesen.
„Was machen wir, wenn er hier herüberkommt?“,
fragte Gustav.
Sie standen hinter dem Zeitungsstand und
zitterten vor Spannung.
Der Dieb blätterte in der Zeitung. Dann faltete er
sie zusammen und winkte ein Taxi heran.
Das Auto hielt, er stieg ein.
Doch da saßen die Jungen schon in einem
anderen Taxi. Gustav sagte zu dem Fahrer:
„Sehen Sie das Taxi da vorne? Fahren Sie
hinterher. Aber vorsichtig, dass er es nicht merkt.“
„Was ist denn los?“, fragte ihr Fahrer.
„Da hat einer was ausgefressen. Und den
verfolgen wir jetzt“, erklärte Gustav.
„Habt ihr denn auch genug Geld?“, fragte
der Taxifahrer.
„Natürlich!“, rief der Professor beleidigt.

32 „IA 3733 ist seine Nummer“, gab Emil bekannt.
33 „Nicht zu nah ran an den Wagen!“, warnte Gustav.
34 „Schon gut“, murmelte ihr Fahrer.
35 „Hoffentlich dauert die Fahrt nicht zu lange“, sagte
36 der Professor. „Sonst wird es für uns zu teuer.“

37 Doch da hielt das erste Taxi schon, direkt
38 vor dem Hotel Kreid. Der zweite Wagen bremste
39 noch rechtzeitig und wartete.
40 Der Mann stieg aus und verschwand im Hotel.
41 „Gustav, hinterher!“, rief der Professor nervös.
42 „Wenn das Hotel zwei Ausgänge hat, ist er weg.“
43 Gustav verschwand.
44 Dann stiegen die anderen Jungen aus. Sie stellten
45 sich in eine Hofeinfahrt.
46 Gustav kam wieder. „Den hätten wir. Er hat sich
47 in dem Hotel ein Zimmer genommen.
48 Einen zweiten Ausgang gibt’s auch nicht.“
49 Dann stellten sie eine Wache auf. Der Professor
50 rief von einem Café aus den kleinen Dienstag an.
51 Er gab ihren neuen Standort durch.
52 „Heute kriegen wir ihn sicher nicht mehr“, sagte
53 Gustav ärgerlich.
54 Da war eine Fahrradklingel zu hören.
55 Pony Hütchen bog mit ihrem Fahrrad in den Hof.

56 Hinter ihr saß der Junge, der den Brief zu
57 Emils Großmutter gebracht hatte.
58 „Also, der Emil“, sagte sie, „der kommt
59 nach Berlin und erlebt gleich ein Abenteuer!
60 Meine Eltern und die Großmutter wollten gerade
61 zum Bahnhof gehen. Jetzt sitzen sie zu Hause
62 und wissen nicht, was los ist. Wir haben ihnen
63 natürlich nichts gesagt. Ich muss auch gleich
64 wieder nach Hause. Sonst alarmieren sie noch
65 die Polizei. Wenn noch ein Kind verschwindet,
66 am gleichen Tag, das halten ihre Nerven
67 nicht aus.“
68 Sie sprang auf ihr Rad und radelte davon.

Fortsetzung folgt

**1. Hast du aufgepasst?
Kreuze die richtige Antwort an!**

Wer rennt zum Zeitungsstand?

- ☐ Emil und der Professor
- ☐ Emil, der Professor und zwei Jungen
- ☐ Emil, der Professor und drei Jungen

Was macht der Dieb?

- ☐ Grundeis liest Zeitung im Café.
- ☐ Grundeis steht vor dem Café.
- ☐ Grundeis beobachtet die Jungen.

Was kauft Grundeis?

- ☐ eine Morgenzeitung
- ☐ eine Tageszeitung
- ☐ eine Abendzeitung

Womit fährt Grundeis weg?

- ☐ mit seinem Auto
- ☐ mit der Straßenbahn
- ☒ mit dem Taxi

Wie verfolgen die Jungen den Dieb?

- [x] mit einem Taxi
- [ ] mit dem Fahrrad
- [ ] zu Fuß

Worüber macht sich der Taxifahrer Sorgen?

- [ ] über die Geschwindigkeit
- [x] über die Bezahlung
- [ ] über den Verbrecher

Wohin fährt Grundeis?

- [ ] zum Kreidefelsen
- [ ] zum Hotel Kurfürstendamm
- [x] zum Hotel Kreid

Was macht Grundeis dort?

- [ ] Er geht in ein anderes Café.
- [x] Er nimmt ein Zimmer im Hotel.
- [ ] Er kauft noch eine Zeitung.

2. Vor dem Hotel werden die Aufgaben verteilt. Bilde sechs Sätze!

			gesucht.
Der Taxifahrer		von Gustav	aufgestellt.
Der Dieb	wird	vom Professor	besucht.
Der kleine Dienstag	werden	von den Detektiven	angerufen.
Eine Wache		von Pony Hütchen	verfolgt.
Die Jungen		von den Jungen	bezahlt.

3. Emils Cousine hat den Spitznamen Pony Hütchen. Kennst du andere Spitznamen? Schreibe unten drei auf!

Kapitel 10

1 Später kamen noch ein paar der Jungen
2 in den Hof. Sie hatten im Park gewartet und
3 brachten jetzt Butterbrote mit.
4 Emil ging vorsichtig zum Hotel. Er kehrte ziemlich
5 aufgeregt zurück.

6 „So geht das nicht“, sagte er. „Wir brauchen
7 jemanden im Hotel. Sonst müssen wir
8 die ganze Nacht den Eingang bewachen,
9 damit uns Grundeis nicht noch entwischt.“
10 „Wir können uns doch nicht einfach auf die Treppe
11 vor das Hotel setzen“, entgegnete Gustav.
12 „Das meine ich auch nicht“, antwortete Emil.
13 „Sondern?“, fragte der Professor.
14 „In dem Hotel gibt’s doch einen Hotelpagen,
15 der die Koffer trägt und solche Sachen. Wenn nun
16 einer von uns zu dem geht und erzählt,
17 was passiert ist? Vielleicht kann der uns
18 ja helfen.“
19 „Dieser Emil!“, rief Gustav. „Noch so ein Tipp, und
20 wir machen dich zum Ehrenmitglied. Schlau wie
21 ein Berliner!“
22 Gustav verschwand in Richtung Hotel. Er wollte
23 versuchen, mit dem Hotelpagen zu sprechen.

24 Langsam wurde es dunkel. Emil und der Professor
25 standen in der Hofeinfahrt und warteten.
26 Plötzlich sahen sie einen Jungen aus dem Hotel
27 kommen. Er hatte eine grüne Uniform an und
28 ein grünes Käppi auf. Er winkte und kam näher.
29 „Das ist ja Gustav! Wie hast du das denn

30 geschafft?“, fragte Emil.
31 „Also, hört zu! Ich schleiche ins Hotel,
32 sehe den Pagen rumstehen. Ich winke unauffällig.
33 Er kommt zu mir, und ich erzähle
34 die ganze Geschichte. Von Emil. Und von uns.
35 Und von dem Dieb. Und dass er in dem Hotel
36 wohnt. ‚Sehr niedlich‘, sagt der Page. ‚Ich hab
37 noch eine zweite Uniform. Die kannst du
38 anziehen.‘ “
39 „Aber was ist denn mit dem Portier?“, fragte
40 der Professor.
41 „Das ist sein Vater. Der hat’s erlaubt. Ich darf
42 sogar im Zimmer vom Personal übernachten.
43 Und jemanden mitbringen darf ich auch.
44 Na, was sagt ihr nun?“

45 „Hast du gesehen, in welchem Zimmer der Dieb
46 wohnt?“, fragte Emil.
47 „Der Page meinte, dass der Dieb in Zimmer 61 ist.
48 Ich also rauf in die dritte Etage. Ganz unauffällig
49 hinterm Geländer gewartet. Nach einer halben
50 Stunde geht die Tür von 61 auf. Und wer kommt
51 raus? Unser Herr Dieb!“
52 Die Jungen lauschten gespannt.
53 „Als er von der Toilette zurückkommt, laufe ich

54 ihm entgegen und frage ‚Haben Sie noch
55 einen Wunsch?‘ ‚Nein‘, sagt er, ‚ich brauche
56 nichts. Oder doch. Sag dem Portier, dass ich
57 um acht Uhr geweckt werden will. Zimmer 61.
58 Vergiss es aber nicht.‘ “
59 „Ausgezeichnet!“ Der Professor war begeistert.
60 Die anderen nickten. „Ab acht Uhr wird er vor
61 dem Hotel erwartet. Dann geht die Jagd weiter.“
62 „Jetzt können alle nach Hause. Emil geht
63 mit Gustav ins Hotel“, bestimmte der Professor.
64 „Ich rufe noch den kleinen Dienstag an.
65 Und morgen früh sind wir alle um acht Uhr
66 wieder hier!“

Fortsetzung folgt

1. Im folgenden Text fehlen die Zahlenangaben. Setze ein!

einen / einen / zwei / zwei / acht / acht / 61

Im Hotel gibt es einen Hotelpagen.

Der Hotelpage hat ________ Uniformen.

Es gibt ________ Portier.

Grundeis möchte um ______ Uhr geweckt werden.

Er wohnt in Zimmer ______ .

Im Hotel dürfen zwei Jungen übernachten.

Die Detektive treffen sich am nächsten Morgen um acht Uhr.

2. Gustav muss als Page arbeiten. Er bekommt Trinkgeld. Wie viel? Rechne aus!

Brief wegbringen	0,50 Mark
Koffer tragen	0,30 Mark
Taxi rufen	0,50 Mark
Koffer tragen	0,60 Mark
Telegramm bringen	0,20 Mark

Kapitel 11

Am nächsten Morgen um acht Uhr trafen sich alle wieder in der Hofeinfahrt. Emil riss erstaunt die Augen auf.
Überall standen Kinder. Auf dem Platz vor dem Hotel, am U-Bahn-Eingang, in einer Seitenstraße.
Emils Geschichte hatte sich herumgesprochen.

„Da hilft nur eins“, meinte Emil. „Wir müssen
unseren Plan ändern. Wir müssen den Grundeis
richtig verfolgen. Dass er’s merkt.
Von allen Seiten und mit allen Kindern.“
„Das habe ich mir auch schon überlegt“, erklärte
der Professor. „Dann ändern wir eben

13 unsere Taktik. Wir treiben ihn so lange
14 in die Enge, bis er sich ergibt."
15 „Er wird lieber das Geld rausgeben, als dass
16 100 Kinder hinter ihm herlaufen und schreien."
17 Die anderen nickten.
18 Da klingelte es in der Hofeinfahrt. Pony Hütchen
19 radelte in den Hof.
20 „Was wollen denn die vielen Kinder
21 auf der Straße?", fragte sie.
22 „Die haben von unserer Verbrecherjagd gehört.
23 Und nun wollen sie dabei sein", erklärte
24 der Professor.
25 Da kam Gustav in den Hof gerannt. Er hupte laut
26 und brüllte: „Los! Er kommt!"
27 Sie liefen zum Hotel.

28 Der Mann stieg gerade die Treppe vor dem Hotel
29 herunter. Und schon war er von allen Seiten
30 umzingelt.
31 Er sah sich verwundert um. Dann ging er
32 schneller. Die Kinder beschleunigten ihre Schritte.
33 Er wollte in eine Seitenstraße abbiegen.
34 Doch da kamen ihm noch mehr Kinder entgegen.
35 „Lauf vor mir her", rief Emil zu Gustav.
36 „Er soll mich noch nicht sehen."

37 Der Mann wurde nervös. Er machte Riesenschritte.
38 Aber es war umsonst.
39 Plötzlich blieb er stehen, drehte sich um und lief
40 die Straße wieder zurück. Die Kinder folgten ihm
41 auch weiterhin.
42 Da rannte ein Junge dem Mann vor die Beine,
43 dass dieser stolperte.
44 „Was fällt dir ein, du Lausejunge?“, schrie er.
45 „Ich rufe gleich die Polizei!“
46 „Ach ja, bitte, tun Sie das!“, rief der Junge.
47 „Darauf warten wir schon lange!“

48 Herrn Grundeis wurde die Geschichte immer
49 unheimlicher. Er wusste nicht, was er machen
50 sollte. Schon sahen Leute aus allen Fenstern.
51 Wenn jetzt ein Polizist kam, war’s aus.
52 Da hatte er eine Idee. Direkt in der Nähe war
53 eine Privatbank. Er eilte auf die Tür zu und
54 verschwand. Der Professor rannte zur Tür und
55 brüllte: „Gustav und ich gehen hinterher!
56 Emil bleibt noch hier, bis es so weit ist! Wenn
57 Gustav hupt, kann’s losgehen! Dann kommt Emil
58 mit zehn Jungen nach.“
59 Dann verschwanden Gustav und der Professor
60 in der Bank.

Fortsetzung folgt

1. **Setze die fehlenden Wörter ein! Schau dir dazu das Bild am Anfang dieses Kapitels noch einmal genau an!**

   auf / in / hinter / neben / vor

   Die Kinder warten ___________ dem Platz, ___________ dem Hotel, ___________ dem U-Bahn-Eingang, ___________ der Seitenstraße und ___________ dem Auto.

2. **Herr Grundeis wird von den Kindern verfolgt. Lies den Text auf Seite 68 Zeile 28 bis zum Ende des Kapitels noch einmal genau durch! Unterstreiche in dem Text alle Verben (Tätigkeitswörter), die ausdrücken, wie ein Mensch sich schnell fortbewegt!**

   Beispiel: Die Kinder beschleunigten ihre Schritte.

3. Hier stimmt etwas nicht!
Bilde neue zusammengesetzte Nomen (Hauptwörter), die einen Sinn ergeben!
Tipp: Alle zusammengesetzten Nomen findest du in diesem Kapitel.

Riesenstraße	Verbrechereinfahrt
Seitenjagd	Hofschritte

Verbrecherjagd

Riesanschritte

Seitenjagd

Hofschritte

Kapitel 12

1 Der Mann stand bereits an einem Schalter mit
2 dem Schild „Einzahlungen und Auszahlungen“.
3 Er wartete ungeduldig. Der Bankangestellte
4 telefonierte.
5 Der Professor stellte sich neben den Dieb.
6 Gustav blieb hinter dem Mann stehen.

Dann kam der Kassierer an den Schalter.
„Sie wünschen?“, fragte er Herrn Grundeis.
„Wechseln Sie mir bitte diesen Hundertmarkschein
in zwei Fünfziger! Und können Sie mir für 40 Mark
Kleingeld geben?“, fragte dieser. Dann legte er
einen Hundertmarkschein und zwei
Zwanzigmarkscheine auf den Tisch.
Der Kassierer nahm die drei Scheine.
„Einen Moment!“, rief der Professor laut.
„Das Geld ist gestohlen!“
Der Bankangestellte fuhr hoch.
„Das Geld gehört gar nicht dem Herrn. Er hat es
einem Freund von mir gestohlen. Nun will er es
umtauschen, damit man ihm nichts nachweisen
kann“, erklärte der Professor.
„So eine Frechheit ist mir noch nicht passiert“,
sagte Herr Grundeis.
Da hupte Gustav dreimal laut. Durch die Tür kamen
zehn Jungen gestürmt, Emil voran. Sie umringten
den Mann.
„Was ist denn mit den Jungen los?“, schrie
ein anderer Bankangestellter.
„Die Lausejungen behaupten, ich hätte einem
von ihnen Geld gestohlen“, erklärte Herr Grundeis
ärgerlich.

32 „So ist es auch!“, rief Emil. „Einen Hundertmark-
33 schein und zwei Zwanzigmarkscheine hat er mir
34 gestohlen. Gestern Nachmittag. Im Zug, der von
35 Neustadt nach Berlin fuhr! Während ich schlief.“
36 „Ich bin seit einer Woche in Berlin“, sagte der Dieb
37 und lächelte höflich.
38 „So ein verdammter Lügner!“, schrie Emil vor Wut.
39 „Kannst du denn beweisen, dass dieser Mann
40 im Zug war?“, fragte der Kassierer.
41 „Das kann er natürlich nicht“, meinte der Dieb.
42 „Wir werden das Geld vorläufig hier bei uns
43 behalten, Herr …“, sagte der Kassierer.
44 „Grundeis heißt er!“, rief Emil.
45 Der Mann lachte laut. Er sagte: „Das muss
46 eine Verwechslung sein. Ich heiße Müller.“
47 „Im Zug hat er mir gesagt, dass er Grundeis heißt“,
48 rief Emil. „Er hat mein Geld. Ich muss es
49 wiederhaben.“
50 „So einfach geht das nicht, mein Junge“, erklärte
51 ein anderer Angestellter. Wie kannst du denn
52 beweisen, dass es dein Geld ist? Hast du dir
53 die Nummern gemerkt?“
54 „Natürlich nicht“, sagte Emil.
55 „War an einem der Scheine eine Ecke abgerissen?“
56 „Nein, ich weiß nicht.“

57 „Also meine Herren, das Geld gehört wirklich mir.
58 Ich werde doch nicht kleine Kinder ausrauben!“,
59 behauptete der Dieb.
60 „Halt!“, schrie Emil plötzlich. „Ich habe mir im Zug
61 das Geld mit einer Stecknadel an der Jacke
62 festgesteckt. Deshalb müssten Nadelstiche
63 in den drei Geldscheinen zu sehen sein!“
64 Der Kassierer nahm eine Lupe und betrachtete
65 die Geldscheine genau. Den anderen stockte
66 der Atem. Der Dieb trat einen Schritt zurück.
67 „Der Junge hat Recht!“, rief der Beamte.
68 „In den Scheinen sind tatsächlich Nadelstiche!“
69 Da drehte sich der Dieb blitzschnell um. Er stieß
70 die Jungen zur Seite und rannte durch den Raum.
71 Dann riss er die Tür auf und war weg.
72 „Ihm nach!“, schrie der Bankangestellte.
73 Alle liefen zur Tür. Draußen wurde der Dieb
74 von mindestens 20 Jungen umklammert.
75 Er versuchte, sich loszureißen. Doch die Jungen
76 ließen nicht los. Und dann kam auch schon
77 ein Polizist. Pony Hütchen hatte ihn mit
78 ihrem Fahrrad geholt. Der Dieb wurde verhaftet.
79 Dann zogen sie zur Polizeiwache: der Polizist,
80 der Bankangestellte, der Dieb in der Mitte und
81 90 bis 100 Kinder!

Fortsetzung folgt

1. Trage die Antworten auf die Fragen in das Rätsel auf der nächsten Seite ein! Wie heißt das Lösungswort?

1. Wo spielt dieses Kapitel? In einer …
2. Womit fährt Pony Hütchen? Mit einem …
3. Mit welchem Namen hat sich der Dieb Emil zuerst vorgestellt?
4. Womit hatte Emil sein Geld an der Jacke befestigt? Mit einer …
5. Wie heißt die Stadt, in der die Geschichte spielt?
6. Wer von den Kindern geht zunächst mit dem Professor in die Bank?
7. Wie heißt die Stadt, in der Emil wohnt?
8. Wer kommt, weil Pony Hütchen ihn geholt hat? Ein …
9. Wie heißt Emils Cousine?

10. Wohin gehen alle am Ende dieses Kapitels?
    Zur …

11. Was hat Gustav immer dabei? Eine …

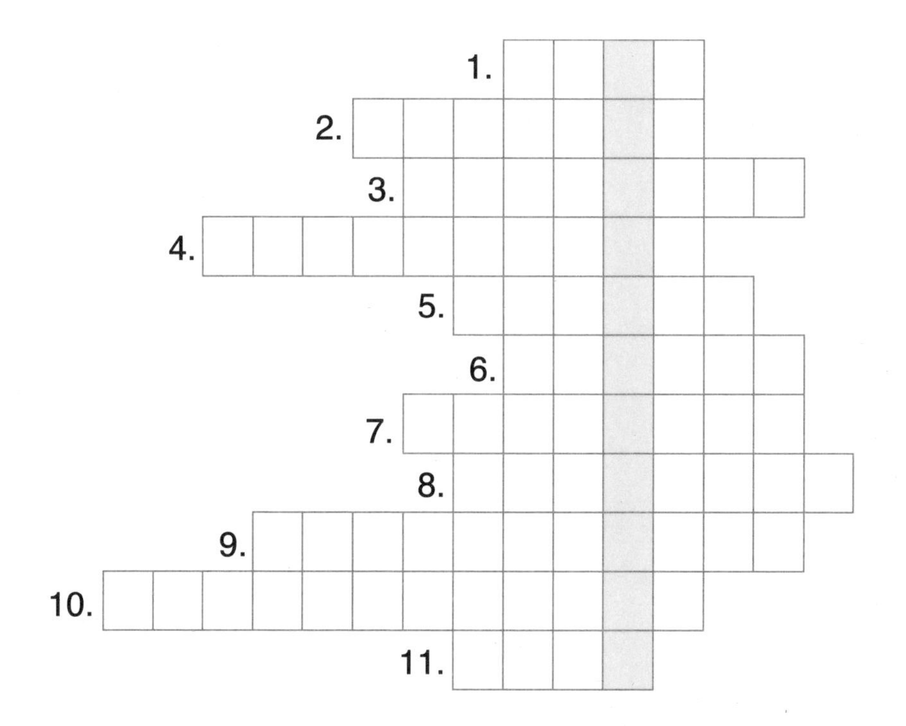

Der Beweis, dass die Scheine Emil gehören,

sind die ___________ .

**2. Wie fühlt sich Emil in der Bank?
Umkreise die passenden Adjektive
(Eigenschaftswörter)!**

Kapitel 13

Der Polizist brachte den Dieb bis zur nächsten
Polizeiwache. Er meldete den Vorfall.
Dann musste Emil noch seinen Namen und
seine Adresse angeben.
„Und wie heißen Sie?“, fragte der Wachtmeister
den Dieb.
„Herbert Kießling“, sagte der Kerl.

8 Da mussten die Jungen – Emil, Gustav und
9 der Professor – laut lachen.
10 „So was!“, rief Gustav. „Erst hieß er Grundeis.
11 Dann hieß er Müller. Jetzt heißt er Kießling!
12 Nun bin ich gespannt, wie er in Wirklichkeit heißt!“
13 „Ruhe!“, knurrte der Wachtmeister. „Das kriegen
14 wir auch noch raus.“
15 Herr Grundeis-Müller-Kießling nannte daraufhin
16 seine derzeitige Adresse, das Hotel Kreid.

17 „Haben Sie gestern Nachmittag Emil Tischbein
18 aus Neustadt im Zug nach Berlin 140 Mark
19 gestohlen?“, fragte der Wachtmeister.
20 „Ja“, sagte der Dieb düster. „Ich weiß auch nicht,
21 das kam ganz plötzlich. Der Junge lag in der Ecke
22 und schlief. Und da fiel ihm der Briefumschlag aus
23 der Jacke. Ich wollte nur nachsehen, was drin ist.
24 Und weil ich gerade kein Geld hatte ...“
25 „So ein Lügner!“, rief Emil. „Ich hatte das Geld
26 festgesteckt. Es konnte gar nicht herausfallen!“
27 „Und so nötig hat er es bestimmt nicht gebraucht.
28 Sonst hätte er Emils Geld schon ausgegeben.
29 Für das Taxi und im Café“, sagte der Professor.
30 „Ruhe!“, knurrte der Wachtmeister. „Das kriegen
31 wir auch noch raus.“

32 „Kann ich jetzt gehen?“, fragte der Dieb. „Ich hab
33 ja den Diebstahl zugegeben. Und wo ich wohne,
34 wissen Sie auch. Ich habe noch geschäftlich
35 in Berlin zu tun.“
36 Aber der Wachtmeister rief das Polizeipräsidium
37 an. Ein Wagen sollte geschickt werden,
38 um den Dieb abzuholen.
39 „Wann kriege ich denn mein Geld?“, fragte Emil
40 besorgt.
41 „Im Polizeipräsidium“, sagte der Wachtmeister.
42 „Ihr meldet euch dort.“
43 Wenige Minuten später kam das Polizeiauto.
44 Herr Grundeis-Müller-Kießling musste einsteigen.
45 Als das Auto losfuhr, schrien die Kinder hinter
46 dem Dieb her. Dann fuhren Emil, Gustav und
47 der Professor zum Polizeipräsidium. Dort musste
48 Emil seine Geschichte noch einmal erzählen.
49 „So“, sagte der Kommissar schließlich, „und nun
50 bekommst du dein Geld wieder.“
51 Emil atmete auf und steckte das Geld ein.
52 „Lass es dir aber nicht wieder stehlen!“
53 „Nein! Ich bringe es gleich meiner Großmutter.“
54 „Richtig! Fast hätte ich es vergessen. Du musst
55 mir noch deine Berliner Adresse geben. Bleibst du
56 noch ein paar Tage hier?“

57 Emil nickte. „Was wird denn nun aus Grundeis oder
58 wie mein Dieb sonst heißt?“
59 „Den haben wir zum Erkennungsdienst gebracht.
60 Dort wird er fotografiert. Und seine Fingerabdrücke
61 werden abgenommen und mit
62 unserer Verbrecherkartei verglichen. Vielleicht
63 hat er ja noch mehr verbrochen.“
64 Dann klopfte es. Vier Reporter von der Zeitung
65 traten ins Zimmer. Der Kommissar erzählte kurz
66 Emils Erlebnisse.
67 „Warum bist du nicht sofort zu einem Polizisten
68 gegangen und hast ihm alles gesagt?“, fragte
69 einer der Reporter.
70 Emil wurde nervös. Dann zuckte er mit
71 den Schultern und sagte. „Also schön! Weil ich
72 in Neustadt dem Denkmal vom Großherzog
73 eine rote Nase und einen Schnurrbart angemalt
74 habe.“
75 Da lachten die fünf Männer.

Fortsetzung folgt

1. **Der Dieb benutzt mehrere Namen. Welche? Schreibe sie unten auf!**

   Im Zug stellt er sich als ____________________ vor.

   In der Bank heißt er ____________________.

   Bei der Polizei nennt er sich ____________________.

2. **Beim Erkennungsdienst werden Fotos vom Dieb gemacht: von links, von rechts und von vorn. Zeichne die drei Fotos in die Rahmen auf dieser Seite und auf der nächsten Seite ein!**

Aufgaben
13

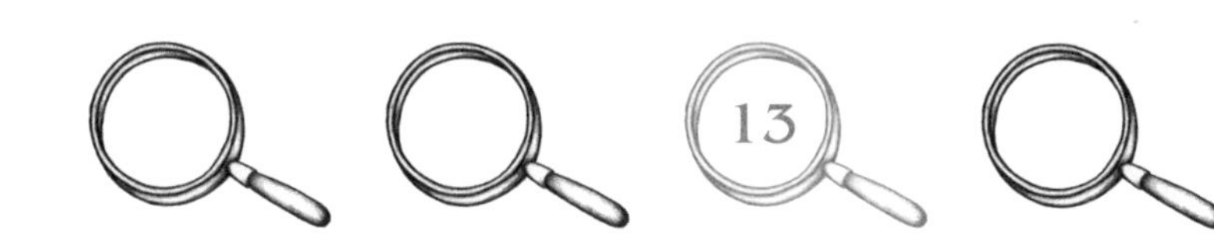

3. Eine genaue Personenbeschreibung ist für die Polizeiarbeit sehr wichtig.

a) Mache von dir eine Personenbeschreibung!
Schreibe dazu folgende Merkmale auf ein großes Blatt Papier und fülle sie für deine Person aus!
(Wichtig: Schreibe nicht deinen Namen darauf!)

- Alter: ...
- Größe: ...
- Figur: ...
- Haarfarbe und Frisur: ...
- Augenfarbe: ...
- Besondere Merkmale: ...

b) Mischt die Blätter der ganzen Klasse durcheinander!
Zieht abwechselnd eines aus dem Stapel und lest die Angaben laut vor!
Ratet, um welche Mitschülerin oder um welchen Mitschüler es sich handelt!

Kapitel 14

1 Endlich konnte Emil zu seiner Großmutter gehen.
2 Vorher hatte er noch den Koffer abgeholt.
3 Jetzt saß er auf dem Sofa im Wohnzimmer.
4 „Hast du das Geld?“, fragte Pony Hütchen.

5 „Klar!“, meinte Emil und holte die drei Geldscheine
6 aus der Tasche.
7 Er gab sie seiner Großmutter und sagte:
8 „Hier Großmutter, das ist das Geld. Mutter konnte

im letzten Monat nichts schicken. Das Geschäft
ging nicht gut. Dafür ist es diesmal mehr
als sonst."
Die Großmutter freute sich. Aber 20 Mark gab sie
Emil zurück. „Weil du so ein tüchtiger Detektiv
bist!"
„Und jetzt kommt zum Mittagessen!", rief
Tante Martha die Kinder.
„Na, Emil, was gibt es wohl?", fragte Pony.
„Keine Ahnung."
„Was isst du am liebsten?"
„Makkaroni mit Schinken."
„Na also. Da weißt du ja, was es gibt!"

Nach dem Essen liefen Emil und Pony Hütchen
auf die Straße.
Da kam ein Polizist auf sie zu. „Bist du
Emil Tischbein?"
„Ja."
„Dann habe ich eine gute Nachricht für dich."
Aber er erzählte nichts. Erst in der Wohnung legte
er seine Aktentasche auf den Tisch.
„Die Sache ist die", sagte er, „der Dieb, der heute
Morgen festgenommen wurde, ist ein Bankräuber
aus Hannover. Er hat sehr viel Geld gestohlen.

33 Wir haben ihn mit Hilfe seiner Fingerabdrücke
34 überführt. Er hat schon gestanden.
35 Das meiste Geld war in seinem Anzug eingenäht.
36 Lauter Tausender."
37 Alle waren sprachlos.
38 „Die Bank", fuhr der Polizist fort, „hat eine
39 Belohnung ausgesetzt. Und weil du", sagte er
40 zu Emil, „den Mann gefangen hast, bekommst du
41 die Belohnung."
42 Dann nahm der Polizist ein paar Geldscheine
43 aus seiner Tasche. Er zählte sie auf den Tisch.
44 Tante Martha passte genau auf. Als er fertig war,
45 flüsterte sie: „Tausend Mark!"
46 Emil hatte sich neben die Großmutter gesetzt.
47 Er konnte kein Wort reden. Die alte Frau legte
48 ihren Arm um ihn.
49 Sie sagte: „Es ist doch kaum zu glauben.
50 Es ist doch kaum zu glauben."
51 Pony Hütchen rief: „Nun laden wir die anderen
52 Jungen zum Kaffee ein!"
53 „Ja", sagte Emil, „das auch. Aber vor allem …
54 jetzt kann doch meine Mutter auch nach Berlin
55 kommen…"

Fortsetzung folgt

1. **Das Lieblingsessen von Emil ist Makkaroni mit Schinken.**
   Was ist dein Lieblingsessen?
   Schreibe es unten auf!

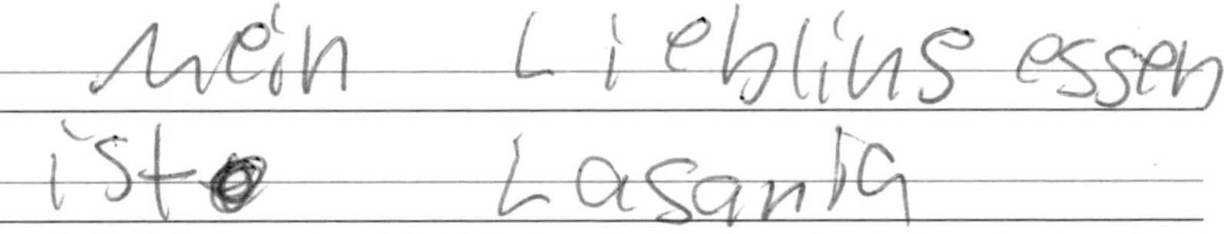

2. **Verbinde die richtigen Satzteile!**

Der Dieb ist	von 1000 Mark von der Bank.
Die Fingerabdrücke des Diebes	ein Bankräuber aus Hannover.
Die Beute war	haben ihn überführt.
Es gibt eine Belohnung	in seinem Anzug eingenäht.

3. Was kann man heute für 500 €* kaufen? Schreibe drei Vorschläge auf!

4. Geh zurück auf Seite 8 und schau dir die Preise noch einmal an! Was werden Emil und seine Mutter wohl mit 1000 Mark tun? Sprecht in der Klasse darüber!

* Ein Euro sind fast zwei Mark. 1000 Mark sind also etwa 500 Euro.

Kapitel 15

Ein paar Tage später saßen alle noch einmal zusammen.
„Nun, vielleicht hat die Geschichte auch ihr Gutes gehabt“, sagte Tante Martha.
„Natürlich“, meinte Emil. „Eins weiß ich bestimmt: Man soll keinem Menschen trauen.“

7 Und seine Mutter meinte: „Ich habe gelernt, dass
8 man Kinder niemals allein verreisen lassen soll."
9 „Quatsch!", brummte die Großmutter.
10 „Alles verkehrt!"
11 „Du meinst also, aus der Sache ließe sich nichts
12 lernen?", fragte Tante Martha.
13 „Doch", behauptete die Großmutter.
14 „Was denn?", fragte Pony Hütchen.
15 „Geld soll man immer nur per Postanweisung*
16 schicken!"

ENDE

* entspricht der heutigen Kontoüberweisung

1. a) Was meinst du zu den folgenden Sätzen? Kreuze an!

	stimmt	stimmt manchmal	stimmt nicht
Man soll keinem Menschen trauen.	❑	❑	❑
Kinder dürfen nicht allein verreisen.	❑	❑	❑
Geld soll man überweisen.	❑	❑	❑

b) Wie viele Schülerinnen und Schüler sind welcher Meinung? Zählt aus und sprecht in der Klasse über das Ergebnis!

2. „Geld soll man überweisen." Die Großmutter hat sicher Recht. Gehe in eine Bank oder Sparkasse und frage, ab wie viel Jahren Kinder ein Konto haben dürfen!

3. „Kinder dürfen nicht allein verreisen."
Wie kann ein Kind allein und trotzdem sicher verreisen?
Welche Tipps und Hilfen fallen dir ein?
Sprich mit einer Partnerin oder einem Partner darüber und schreibe deine Ideen unten auf!

4. a) „Man soll keinem Menschen trauen."
Finde aus deinem Leben ein Beispiel zu A oder B und schreibe dazu Stichworte in dein Heft!

A: Du bist einmal einem Menschen gegenüber sehr misstrauisch gewesen. Später hat es sich als ungerecht herausgestellt.

B: Du bist einmal einem Menschen gegenüber sehr zutraulich gewesen. Danach bist du enttäuscht worden.

b) Sprecht in der Klasse über eure Meinungen!

Originalausgabe:
Erich Kästner, Emil und die Detektive.
Dressler Verlag, © Atrium Verlag, Zürich 1929

Redaktion: lüra – Klemt & Mues GbR
Technische Umsetzung: Manuela Mant[illegible]ong

www.cornelsen.de

2. Auflage, 6. Druck 2013/06

Alle Drucke dieser Auflage sind inhaltlich unverändert
und können im Unterricht nebeneinander verwendet werden.

Druck: H. Heenemann, Berlin

ISBN 978-3-464-60166-2

Inhalt gedruckt auf säurefreiem Papier aus nachhaltiger Forstwirtschaft.